D1545552

Antología poética

Καὶ νέους θάρσυνε· νίκης δ' ἐν θεοῖσι πείρατα.

ΑΡΧΙΛΟΧΟΣ

ΕΛΕΓΕΙΑ, ΤΕΤΡΑΜΕΤΡΑ (57 D)

Anima tú a los jóvenes: a los dioses les toca determinar el triunfo.

ARQUÍLOCO

Elegías, tetrámetros (57 D)

CÁTEDRA BASE

Antología poética

Miguel Hernández

Edición de José Ricart

CÁTEDRA

Colección dirigida por José Mas y M.ª Teresa Mateu

1.ª edición: marzo de 2012

Diseño y cubierta: M. A. Pacheco y J. Serrano
Ilustración de cubierta: Kasimir Malévich, *La segadora* (1912)

© Herederos de Miguel Hernández
© De la introducción, notas y propuestas de lectura:
José Ricart, 2012
© Ediciones Cátedra (Grupo Anaya, S. A.), 2012
Juan Ignacio Luca de Tena, 15. 28027 Madrid

ISBN: 978-84-376-2993-3
Depósito legal: M. 7.048-2012
Composición: Grupo Anaya
Impreso en España - Printed in Spain

*Reservados todos los derechos. El contenido de esta obra está
protegido por la Ley, que establece penas de prisión y/o multas,
además de las correspondientes indemnizaciones por daños y
perjuicios, para quienes reprodujeren, plagiaren, distribuyeren
o comunicaren públicamente, en todo o en parte, una obra literaria, artística o científica, o su transformación, interpretación o
ejecución artística fijada en cualquier tipo de soporte o comuni-
cada a través de cualquier medio, sin la preceptiva autorización.*

OCT = - 2012

Farmers Branch Manske Library
13613 Webb Chapel
Farmers Branch, TX 75234

ÍNDICE

INTRODUCCIÓN

Tiempos de luces y sombras

En la primera mitad del siglo xx, Europa vive unos tiempos políticos convulsos y complejos: dos guerras mundiales, una revolución en Rusia, alzamientos totalitarios en Italia y Alemania y una gran crisis económica en 1929. De forma casi paralela, en nuestro país, en apenas tres décadas, se suceden varios tipos de gobierno: los últimos años de la monarquía de Alfonso XIII, una segunda República y dos dictaduras: la de Primo de Rivera y la del general Franco, después de una sangrienta guerra civil. En el plano económico, la situación se presenta igual de desalentadora (a pesar de cierta prosperidad a finales de los años veinte y de los intentos de reforma y de progreso durante la República): España sigue siendo un país agrario, tradicional y católico en manos de grandes latifundistas frente a una enorme masa de población empobrecida y analfabeta. Afortunadamente, el ámbito cultural es de otra índole: se dan a conocer pintores internacionales como Picasso y Dalí y aparece un segundo siglo de oro en literatura conocido como la generación del 27 al que pertenecen figuras como Aleixandre, Lorca, Alberti, Guillén y un largo etcétera.

Me llamo Barro aunque Miguel me llame

En 1910 nace Miguel Hernández en Orihuela (Alicante) en el seno de una modesta familia de cabreros. Durante su infancia ayuda a su hermano en las tareas de pastoreo. Estudia en las Escuelas del Ave María y después en el colegio de Santo Domingo de los jesuitas donde conocerá a Ramón Sijé. Con quince años abandona las clases por orden de su padre y empieza a escribir sus primeros versos. Lee a los clásicos (Virgilio, San Juan de la Cruz) en libros que le prestan sus amigos o que saca de la biblioteca pública.

En 1931 viaja a Madrid y realiza una entrevista en *La Gaceta Literaria*. Dos años más tarde publica su primer libro, *Perito en lunas*. En la capital conoce a otros poetas como Rafael Alberti, Manuel Altolaguirre y Jose Bergamín, y entabla amistad con Pablo Neruda y Vicente Aleixandre. En 1935 se instala en Madrid para trabajar con José María de Cossío en la enciclopedia *Los toros*. Ese mismo año muere su amigo Ramón Sijé y publica su elegía. Aparece *El rayo que no cesa* en 1936. Después del estallido de la guerra civil se alista en el Quinto Regimiento. Un año después se casa con Josefina Manresa. Nace su primer hijo, que morirá meses más tarde. Publica *Viento del pueblo*. Asiste al II Congreso de Escritores Antifascistas. En 1939 nace su segundo hijo.

Perdida la guerra intenta huir a Portugal, pero es detenido. En la prisión de Madrid escribe las «Nanas de la cebolla». En 1940 es condenado a muerte, pero se le conmuta la pena por treinta años de reclusión. Pasa por más de una decena de cárceles hasta que ingresa enfermo en el Reformatorio de Adultos de Alicante. Muere en la enfermería en 1942.

Primeros poemas

Para algunos críticos este grupo de poemas constituye su prehistoria literaria, ya que se trata de un conjunto de textos conservados en un cuadernillo autógrafo que no conforma ninguna unidad como los posteriores, pero comparten métrica, tema y técnica. Todos ellos son de arte menor y rima asonante, aunque existe una gran variedad en cuanto a metros como el hexasílabo, romancillos, redondillas asonantadas: «En cuclillas, ordeño / una cabrita y un sueño. / Glu, glu, glu, / hace la leche al caer / en el cubo. En el tisú / celeste va a amanecer». El tema central lo ocupa el paisaje de Orihuela. Se trata, pues, de una serie de cuadros o estampas de la tierra de la Vega del Segura que el poeta pinta a la manera impresionista con grandes trazos, como si fuera un boceto. De esta forma, con pocas palabras, pero muy bien seleccionadas (hato, cordero, chivo, lagarto, mosca), es capaz de atrapar en escasos versos el alma del aquí y el ahora. Estos poemillas constatan su formación autodidacta gracias a muy diversas y variadas lecturas, al tiempo que demuestran su capacidad imitativa de autores clásicos.

Bajo el signo de Góngora

La elaboración de *Perito en lunas* obedece a dos circunstancias: el reconocimiento de la maestría formal de Góngora (que es uno de los autores reivindicados por la generación del 27) y el intento de superación personal, es decir, demostrar a sí mismo y a los demás la valía de sus versos. Ya el título es intencionado y significativo. El poeta se siente perito (experimentado en algo) en lunas (símbolo de los ritmos de la vida). En otras palabras, Hernández se considera un experto en los secretos de la naturaleza, al mismo tiempo que adquiere conciencia de su habilidad creativa. Nuestro autor toma prestados algunos elementos gongorinos como el uso de la octava real, el hipérbaton y el gusto por el acertijo poético. En estas piezas lo relevante no es el contenido extraído del entorno cotidiano, sino la forma deslumbrante y metafórica que utiliza. Por ejemplo, una simple y sencilla flor de naranjo es alabada como «Frontera de lo puro, flor y fría. / Tu blancor de seis filos, complemento, / en el principal mundo de tu aliento, / en un mundo resume un mediodía». Por otra parte y como antes hemos adelantado, en este volumen Hernández ratifica su deseo de ser poeta y para ello nos ofrece innumerables muestras de su capacidad imaginativa y del dominio de la expresión. A pesar de todos sus logros, una parte de la crítica ha infravalorado su interés, debido al conceptismo deshumanizado y a considerarlo como un mero ejercicio retórico.

La pena hace silbar

El silbo vulnerado agrupa veinticinco sonetos numerados que cantan el amor desesperado. Estos poemas constituyen una canción herida, el llanto viril del poeta en su soledad: «La pena hace silbar, lo he comprobado / cuando el que pena, pena malherido, / pena de desamparo desabrido, / pena de soledad de enamorado». Se trata, pues, de un libro de transición, en el que Hernández abandona la riqueza metafórica de *Perito en lunas* y ensaya una voz más personal que anticipa su próxima entrega.

Herido por el rayo

De nuevo hay que destacar la originalidad de los títulos de sus obras. Concretamente en el libro *El rayo que no cesa,* el rayo aparece como descarga de violencia, intensificada además de forma permanente. Y es que el tema sigue la línea y el tono de libros anteriores. Aquí vuelve a experimentar el amor vivido como fatal tortura, el dolor que este provoca, la desolación y la tristeza. Desde un punto de vista formal es evidente una mayor complejidad, ya que el poeta incorpora, además del soneto propio de *El silbo vulnerado*, otras estrofas como cuartetas y elegías. Por otra parte, la agudeza de sus imágenes será poco a poco sustituida por el uso de comparaciones más modestas: si *Perito en lunas* estaba escrito bajo el signo de Góngora, aquí las referencias hay que buscarlas en el dolorido sentir de Garcilaso: «Una querencia tengo por tu acento, / una apetencia por tu compañía», y en el desgarro afectivo de Quevedo: «Tengo estos huesos hechos a las penas / y a las cavilaciones estas sienes». No obstante estas diferencias, prevalece una organización temática y textual, al igual que en el resto de sus trabajos. A fin de cuentas, podría considerarse como un cancionero a la manera tradicional en el que el poeta transcribe su experiencia amorosa, fiel a las convenciones del género, como la dedicatoria a la amada, los tópicos de la queja dolorida, la amada esquiva o la concepción del amor como sinónimo de muerte.

Versos revolucionarios

Viento del pueblo comprende un total de veinticinco poemas escritos en poco menos de un año en el campo y en las trincheras con el objetivo de ser recitados ante las multitudes más que leídos en la intimidad. En él convergen: cantos épicos que increpan a tiranos; elegías que lloran la pérdida de algún poeta, y también odas que expresan el dolor y la tragedia de sus protagonistas (niño yuntero, jornaleros, etc.). Esta serie está ordenada por intensidad: desde el dolor máximo (la elegía de Lorca) hasta la máxima esperanza (la exaltación de la defensa de Madrid). En esta escala tonal podemos apreciar poemas hímnicos o de exaltación («Canción del esposo soldado», «El sudor») y otros elegíacos o de lamento («Elegía primera», «El niño yuntero»). Por esta razón, el poeta ajusta su voz según necesidades expresivas a moldes tradicionales (romance, cuartetas) y a formas modernas (sonetos alejandrinos, pies quebrados) a diferencia de la unidad estrófica de otras publicaciones. Hernández quiere ir más allá de las bellas palabras. Sustituye el intimismo narcisista por la solidaridad con los explotados y las víctimas de la injusticia, hasta el punto de asimilar su «yo» con el de «los otros». La función lingüística predominante en estos versos es claramente apelativa (una exhortación, un apóstrofe, una arenga): «Campesino, despierta, / español, que no es tarde. / A este lado de España / esperamos que pases». Se trata, no olvidemos, de una poesía de propaganda (igual que Alberti en *Capital de la gloria)* que pretendía denunciar las formas de opresión. A pesar del entusiasmo popular que estos versos han provocado, algunos estudiosos han criticado la facilidad de su versificación, la demagogia y el tono panfletario.

Poesía de guerra

A primera vista el libro de *El hombre acecha* puede parecer una prolongación de su predecesor. Sin embargo, aquí se aprecia el paso de una poesía social a una poesía existencial. Si en *Viento del pueblo* el protagonista era la colectividad, aquí el centro de interés será el hombre en su acepción de ser humano, considerado como su propia amenaza. Estos poemas abordan la situación de odio, la crueldad que vive España y la opresión del pueblo: «Las cárceles se arrastran por la humedad del mundo, / van por la tenebrosa vía de los juzgados». Su pesimismo le lleva a utilizar parte del bestiario con su simbología zoomórfica (lobos, águilas, tiburones, cerdos) para evidenciar la animalidad y la explotación del ser humano. A pesar de todo esto, se puede rastrear cierta confianza en el progreso y en la solidaridad con los otros. Por ejemplo: «Hablemos del trabajo, del amor sobre todo, / donde la telaraña y el alacrán no habitan. / Hoy quiero abandonarme tratando con vosotros / de la buena semilla de la tierra». Desde un punto de vista formal, no podemos concretar una estructura definida ni una preferencia estrófica determinada. Lo que sí se aprecia es una reducción de la retórica y del virtuosismo poético en beneficio de un mayor lirismo dramático.

Desde la oscura prisión

Más que un libro, *Cancionero y romancero de ausencias* es un verdadero diario íntimo, una autobiografía lírica de la desolación, que tiene como correlato una agitada vida marcada por el final de la guerra, el peregrinaje por cárceles y el mundo de miseria y enfermedad. Este cancionero está compuesto por unos sesenta poemas breves, de pocas palabras, desnudas, sinceras, de arte menor con rima asonante que recuerda mucho la sencillez de algunas composiciones de Machado, Lorca y del último Juan Ramón Jiménez. En ellos el poeta trata varios temas como la separación de la esposa, la muerte del hijo, la angustia en la cárcel, la soledad, etc.

Un camino truncado

La breve trayectoria poética de Hernández (que apenas abarca dos décadas) puede secuenciarse en un eje cronológico según temas, estilo y libros publicados para así poder apreciar mejor su evolución. Desde un punto de vista didáctico y siguiendo la clasificación de Riquelme podemos distinguir:

1.º Etapa inicial (1924-1934). Es un periodo de formación, donde el protagonista de sus versos es el paisaje de Orihuela. Hernández debuta con unos poemas sencillos, humildes, y poco a poco va perfeccionando su técnica hasta llegar a la publicación de su primer libro, *Perito en lunas*, en el que los elementos del paisaje se subliman gracias a la imaginación y al ingenio.

2.º Etapa amorosa (1934-1936). El sentimiento erótico y, en especial, la pena amorosa centran ahora la atención del poeta. Hernández utiliza diversas metáforas como el toro y el rayo para expresar su dolor. El autor alcanza la perfección poética con libros como *El silbo vulnerado* y *El rayo que no cesa*.

3.º Etapa bélica (1936-1939). Teniendo como fondo la guerra civil, Hernández abandona el subjetivismo lírico y adopta una actitud militante y comprometida con su época. Escribe poemas de tono épico y casi heroico, fiel a los valores de la república. Esta etapa comprende la poesía social y exaltada de *Viento del pueblo* y la poesía existencial de *El hombre acecha*.

4.º Etapa de la derrota (1939-1942). Acabada la guerra, el poeta interioriza en sus últimos versos su paso por diferentes cárceles. El eje central de sus poemas será la desolación y la ausencia. Privado de libertad, sin mujer, sin hijo y sin justicia escribirá *Cancionero y romancero de ausencias*.

Una voz llena de ecos

Los principales temas que aparecen en su obra son clásicos como la afinidad sentimental con el paisaje, el amor, pero también son hijos de su tiempo como su infatigable compromiso político-social.

Hernández incorpora el paisaje de su Orihuela natal, sobre todo en los primeros poemas, no como decorado ni como tópico literario (bucolismo), sino como realidad misma de lo cotidiano, como el pastoreo que él mismo conocía en primera persona... Posteriormente, en libros más complejos como *Perito en lunas,* utiliza la naturaleza que le es próxima como material lingüístico para su serie de adivinanzas gongorinas que pueden ir desde una sandía hasta una palmera.

Sin embargo, el amor es, sin duda alguna, el núcleo de toda su obra. En sus poemas de juventud el autor se inicia imitando los modelos de la tradición literaria (amor cortés, poesía pastoril) para conseguir en su madurez una voz personal y propia como, por ejemplo, encontramos en *El rayo que no cesa,* donde la vida se (con)funde en el poema. Su sentimiento amoroso transciende el plano de lo erótico (hacia su esposa) y también se manifiesta de manera filial hacia el hijo (como en las «Nanas de la cebolla»); y, por último, también hacia su pueblo a través del compromiso y de la solidaridad con los más desfavorecidos. Porque la poesía de Miguel Hernández nace de la necesidad y del contacto directo con la vida, es decir, son las circunstancias de la experiencia las que determinan en gran parte su escritura. Sus poemas son un correlato, un fiel espejo de sus sentimientos que pueden ir desde la exaltación por la vida hasta el desesperanzador pesimismo de sus últimos libros.

Finalmente, solo nos queda señalar uno de los rasgos más identificativos de la voz de Hernández que es su defensa de una poesía hecha por el pueblo y para el pueblo. El poeta intenta dignificar la tierra y el hombre sencillo de campo sin caer en la trampa de idealizarlo estéticamente (como hicieron Lorca o Alberti, por ejemplo). Para ello se hace eco de los problemas que castigan a la población, como la miseria y la injusticia, para denunciarlos en *Viento del pueblo* y *El hombre acecha.*

El toro, el rayo y la luna

A lo largo de su obra encontramos una serie de símbolos recurrentes de una gran riqueza connotativa como pueden ser la luna, el rayo, el toro y el viento. De esta forma, muchos de sus poemas y de sus libros *(Perito en lunas, El rayo que no cesa, Viento del pueblo)* se construyen a partir de estas imágenes que, a fuerza de repetición, el poeta acaba por hacerlas suyas hasta el punto de identificarse con ellas.

A diferencia de la típica fauna de la poesía (paloma, ruiseñor, cisne) el poeta se decanta en sus versos por el uso sistemático de la imagen del toro. Hernández es quizá pionero en su uso, bien como elemento natural propio del paisaje, bien como símbolo de la virilidad, del instinto masculino: «Como el toro he nacido para el luto / y el dolor, como el toro estoy marcado». En la mayoría de los casos conserva una carga positiva (en libertad), pero no la tiene el toro en la plaza que aparece como trágica metáfora existencial del destino del hombre.

Por otra parte, encontramos el símbolo del rayo susceptible de múltiples lecturas según el contexto. Por ejemplo, hay que diferenciar el rayo solar del relámpago. En la primera acepción está cargado de connotaciones positivas. El poeta admira la luz del sol como elemento de la naturaleza asociado a la vida y a lo masculino (por oposición a la luna). Sin embargo, el rayo de la tormenta aparece relacionado con situaciones de peligro, temor, inestabilidad, etc.: «¿No cesará este rayo que me habita / el corazón de exasperadas fieras / y de fraguas coléricas y herreras / donde el metal más fresco se marchita?». Hernández aprovecha esta imagen para titular uno de sus más famosos libros, *El rayo que no cesa,* como imagen del deseo carnal no satisfecho.

La luna es otro de los símbolos claves en su etapa inicial. Aparece como motivo del paisaje en los primeros poemas y se convierte en protagonista en su primer libro. En *Perito en lunas* esta imagen sirve a partir de su forma como material de escritura para muchos de sus poemas, por ejemplo, escribe: «Contra nocturna luna, agua pajiza», para referirse a la noria, y también sirve para constatar un cambio (luna nueva, creciente y llena) en la evolución creativa del poeta. No podemos olvidar la carga connotativa del viento como renovador del cambio, como fuerza colectiva: «Vientos del pueblo me llevan, / vientos del pueblo me arrastran, / me esparcen el corazón / y me aventan la garganta». Su uso se generaliza en especial en la etapa bélica e, incluso, llega a dar título a uno de sus libros.

Una poesía necesaria

La mayoría de los estudiosos (Ferris, Riquelme, Zardoya) coinciden en destacar el acierto con el que el poeta combina el valor estético de sus versos con la crítica social. Hernández no solo expresa con lirismo los estados anímicos por los que va transitando (enamoramiento, angustia, soledad), sino que también se erige en portavoz de las injusticias que acechan a los más desfavorecidos de su época.

Asimismo Hernández suele despertar cierta empatía (y también simpatía) con el lector medio, porque este se identifica fácilmente, no a través del intelecto, sino mediante emociones que brotan de una voz sencilla y de unas imágenes vivas y sugerentes. Quizá su éxito entre el público (incluso el más reacio a este género) radica en que Hernández ha nacido del pueblo y escribe para el pueblo, es decir, a la inmensa mayoría (a diferencia, por ejemplo, de otros más elitistas como Juan Ramón Jiménez). Además, y por si esto fuera poco, la amplia producción hernandiana permite satisfacer las preferencias de los lectores más exigentes. Aquellos que busquen versos de amor encontrarán los más apasionados en *El rayo que no cesa*, los comprometidos con las causas sociales se sentirán reflejados en *Viento del pueblo*, y aquellos que ansíen el placer sensorial del arte por el arte quedarán ampliamente satisfechos con *Perito en lunas*.

En mi opinión señalaría dos cualidades personales. La primera de ellas la honestidad con la que siente, piensa y escribe, una virtud a la que siempre el poeta permaneció fiel y que, como pocos autores, llevó hasta sus últimas consecuencias. La segunda sería su afán de superación pese a tener en su contra todas las circunstancias históricas, sociales y económicas: Miguel Hernández consigue sobreponerse a través del esfuerzo y logra pasar de ser un niño cabrero a ser el poeta querido del pueblo.

En cuanto a su obra hay que alabar la elección de los títulos de sus libros por su impacto y porque recogen de forma metafórica el contenido. También hay que elogiar la configuración estructural y unitaria de la mayoría de sus libros (pues no son una mera acumulación de poemas) y los elementos del entorno inmediato de Hernández, trascendidos por el poder de las metáforas del dolor y de la ausencia, las cuales son ya hoy patrimonio del imaginario colectivo.

La figura y la poesía de Miguel Hernández, a pesar de ser de las más populares (junto a Machado o Bécquer), han pasado por una serie de vicisitudes ajenas a la literatura que todavía no le han hecho justicia. En primer lugar, se trata de un autor desubicado en los manuales de literatura (al igual que otros valencianos como Gil-Albert o César Simón): no pertenece a la generación del 27 ni a la del 36. En segundo lugar, su talento ha quedado eclipsado por la amplia nómina del 27, así como por la proyección internacional de algunos (Aleixandre, Lorca). Para colmo su nombre fue proscrito y silenciado una vez terminada la contienda bélica. Su reconocimiento empieza de forma tardía en los años ochenta, cuando se recopila y edita la obra completa.

Bibliografía

Cano Ballesta, Juan, M. H., *El hombre y su poesía,* Madrid, Cátedra, 1988.

Ferris, José Luis, M. H., *Antología poética,* Madrid, Espasa Calpe, Col. Austral, 2000.

López-Casanova, Arcadio, *Miguel Hernández, pasión y elegía,* Madrid, Anaya, 1993.

Riquelme, Jesucristo, *Miguel Hernández. Un poeta para espíritus jóvenes,* Valencia, Ecir, 2010.

Sánchez Vidal, Agustín, M. H., *Obra completa,* Madrid, Espasa Clásicos, 2010.

VV. AA., *100 años de Miguel Hernández,* Madrid, Sociedad Estatal de Conmemoraciones Culturales, 2010.

Zardoya, Concha, *Miguel Hernández (Vida y obra),* Barcelona, Nortesur, 2009.

Enlaces de interés

www.miguelhernandezvirtual.com
www.amigosmiguelhernandez.org

Primeros poemas
(1924-1931)

1
En cuclillas, ordeño

En cuclillas, ordeño
una cabrita y un sueño.

Glu, glu, glu,
hace la leche al caer
en el cubo. En el tisú[1]
celeste va a amanecer.

Glu, glu, glu. Se infla la espuma,
que exhala
una finísima bruma.

(Me lame otra cabra, y bala).

En cuclillas, ordeño
una cabrita y un sueño.

---

[1] Tela de seda entretejida con hilos de oro o
plata.

2
Leyendo

Un ciprés: a él junto, leo.
(El sol va acortando poco
a poco su fulgor loco.
Preludia un ave un gorjeo).

Me acuesto en la hierba. Leo.
(Es el poniente de hoguera:
contra él una palmera
tiene un débil cabeceo).

Echo el ojo al hato[2]. Leo.
(Da el sol un golpe mayúsculo
a una montaña...
Crepúsculo.
Se oye de un agua el chorreo).

Me pongo sentado. Leo.
(La muriente luz se enjambia[3]
fingiendo una gran Alhambra
de mármol cristaloideo).

(Trunca el ave su gorjeo.
Por el oriente descuella
la noche.
¿Nace una estrella?).
No quedan luces... No leo.

---

[2] Envoltorio que se hace para transportar la
ropa u otros objetos.
[3] Se arquea.

3
Es tu boca...

Una herida sangrante y pequeña;
del purpúreo[4] coral doble rama;
un clavel que en el alba se inflama;
una fresa lozana y sedeña[5].

Rubí, en dos dividido, que enseña
si se entreabre, blanquísima escama;
amapola, flor, cálida llama;
nido donde el amor canta y sueña.

Incendiado retazo de nube;
corazón arrancado a un querube[6];
fresco y rojo botón de rosal...

Es tu boca, mujer, todo eso...
Mas si cae dulcemente en un beso
a la mía, se torna en puñal.

---

[4] Rojo oscuro tirando a violeta.
[5] De seda.
[6] Ángel.

4
Recuerdo...

La luna casi ordeñada
por la noche; por mi mano
ordeñada la manada.

Sobre las tejas rotundas
el alba henchida de leche,
la noche vacía de luna.

El aprisco[7] con esquilas,
y remulgos y balidos:
¡toda una vaharada[8] idílica!

Un lucero entre mis ojos
y en la intimidad del agua
maravillada del pozo.

En un cercano naranjo
y en una torre cercana
eólica brisa y trinados.

Sobre el tejado volcada
una riada de cielo
con nubes podridas de alba.

Y, como un velo de novia
arrugado, la ordeñada
leche en el cubo, espumosa.

---

[7] Lugar donde se guarda el ganado.
[8] Hecho o efecto de echar vaho.

5
Imposible

Quiero morir riendo,
no quiero morirme serio;
y que me den tierra pronto...
pero no de cementerio.

No quiero morir —dormir—,
no quiero morir durmiendo
en un estéril jardín...
¡Yo quiero morir viviendo!

Quiero dormir... ¿Dónde?... Sea
donde lo quiera el Destino:
en un surco de barbecho,
a la vera de un camino...

En una selva ignorada,
a la orilla de un riachuelo
de esos tan claros, que están
venga a robar cielo al cielo.

Que cuando mi carne sea
nada en polvo, broten flores
de ella, donde caiga escarcha
y escarcha de ruiseñores.

Que resbale por mi cuerpo
la corriente cristalina
y ladronzuela, sacándole
alguna nota argentina.

Que escuche mi oído armónico,
en cuanto el día se vuelva
ascua, la armonía virgen
del virgen Pan[9] de la selva.

Que nazcan espigas fáciles
con luminosas aristas
de mi pecho, que ama el arte,
para recreo de artistas...

No quiero morir —dormir—,
no quiero dormir muriendo
en sagrada tierra estéril...
¡Yo quiero morir viviendo!

[9] Dios mitológico de los bosques.

6
Reloj rústico

Aquel tajo cerril de la montaña
el campesino y yo
tenemos por reloj:
la una es un barranco,
otro las dos;
las tres, las cuatro, otros;
la aguja es la gran sombra
de un peñasco que brota con pasión;
la esfera, todo el monte;
el tic-tac, la canción
de las cigarras bárbaras
y la cuerda la luz... ¡Espléndido reloj!
¡Pero sólo señala puntualmente
las horas, en los días que hace sol!

Perito en lunas

7
Palmera

Anda, columna, ten un desenlace
de surtidor. Principia por espuela.
Pon a la luna un tirabuzón. Hace
el camello más alto de canela.
Resuelta en claustro viento esbelto pace,
oasis de beldad a toda vela
con gargantillas de oro en la garganta:
fundada en ti se iza la serpiente, y canta.

8
La granada

Sobre el patrón de vuestra risa media,
reales alcancías[1] de collares,
se recorta, velada, una tragedia
de aglomerados rojos, rojos zares.
Recomendable sangre, enciclopedia
del rubor, corazones, si mollares[2],
con un tic-tac en plenilunio, abiertos,
como revoluciones de los huertos.

---

[1] Hucha generalmente de barro.
[2] Blandos y fáciles de partir.

9
Noria

Contra nocturna luna, agua pajiza
de limonar: halladas asechanzas:
una afila el cantar, y otra desliza
su pleno, de soslayo[3], sin mudanzas.
Luna, a la danzarina de las danzas
desnudas, a la acequia, acoge e iza,
en tanto a ti, pandero, te golpea:
¡cadena de ti misma, prometea!

---

[3] De manera oblicua.

10
Cohetes

Subterfugios de luz, lagartos, lista,
encima de la palma que la crea,
invención de colores a la vista,
si transitoria, del azul, pirea.
A la gloria mayor del polvorista,
rectas la caña, círculos planea:
todo un curso fugaz de geometría,
principio de su fin, vedado al día.

11
Sandía

Estío, postre al canto: tierno drama
del blancor del mantel en menoscabo:
conforme con la luna más, se inflama,
en verde plenilunio[4] desde el rabo.
Pero cuando el cuchillo le reclama
los polares cerquillos, tiene al cabo,
para frescas hacer, claras las voces,
un rojo desenlace negro de hoces.

---

[4] Luna llena.

12
Azahar

Frontera de lo puro, flor y fría.
Tu blancor de seis filos, complemento,
en el principal mundo de tu aliento,
en un mundo resume un mediodía.
Astrólogo el ramaje en demasía,
de verde resultó jamás exento.
Ártica flor al sur; es necesario
tu desliz al buen curso del canario.

Ciclo Perito en lunas

13
Camisa-tendida

Blanco el viento, y el sol, mueve su prora
donde apoya la leche su colmillos:
la blancura sirena y ascensora,
de medio abajo, a veces, calzoncillo.
Verdura de tu parte más cantora,
faldón de mar, sin sal, sin estribillo,
abrazo de almidón[1] de tu cintura,
baja, para descender, lámpara impura.

---

[1] Sustancia blanca utilizada en los tejidos para endurecerlos.

14
Naranja

Doncello, el cuchillo, inicia
tu desnudez en mi mano:
ámbito de tu delicia,
tu vestido meridiano.
Cuando a mi dentro escribano,
ves sin el ejemplar rebozo:
novilunio cada trozo
de tu unidad fraccionaria,
queda en el suelo, canaria
sierpe, la piel de mi gozo.

15
El silbo del dale

Dale al aspa, molino,
hasta nevar el trigo.

Dale a la piedra, agua,
hasta ponerla mansa.

Dale al molino, aire,
hasta lo inacabable.

Dale al aire, cabrero,
hasta que silbe tierno.

Dale al cabrero, monte,
hasta dejarle inmóvil.

Dale al monte, lucero,
hasta que se haga cielo.

Dale, Dios, a mi alma,
hasta perfeccionarla.

Dale que dale, dale,
molino, piedra y aire,

cabrero, monte, astro,
dale que dale largo.

Dale que dale, Dios,
¡ay!
Hasta la perfección.

16
Silbo de la llaga perfecta

Ábreme, amor, la puerta
de la llaga perfecta.

Abre, amor mío, abre
la puerta de mi sangre.

Abre, para que salgan
todas las malas ansias.

Abre, para que huyan
las intenciones turbias.

Abre, para que sean
fuentes puras mis venas,
mis manos cardos mondos,
pozos quietos mis ojos.

Abre, que viene el aire
de tus palabras... ¡Abre!

Abre, amor, que ya entra...
¡Ay!
Que no salga... ¡Cierra!

17
Oficio-adánico

Vigilar la blancura: ese es mi oficio,
apoyando en mi amor el pensamiento,
mientras me orea la mejilla el viento,
dorada y no por maña de artificio.

Tener la soledad por ejercicio
y el silencio por sabio y por contento;
por compaña la nieve y por asiento
una altura que cerca un precipicio.

Así vivo, y errante, todo el año,
a la mira una veces de lo puro
y al servicio otras veces de mi bella.

Correhuela² pastura mi rebaño,
si hierba de la sangre yo pasturo,
con su boca en la mía, pasto de ella.

---

² Hierba de pasto.

18
No media más distancia que un otero

No media más distancia que un otero[3]
entre la ausencia mía y tu presencia
y sin embargo, amor, está mi ausencia
pendiente de tu puerta de romero.

Como muere, doliéndose, el cordero
destetado y sin madre ni asistencia,
así, de esta dulcísima dolencia,
de no verte estoy viendo que me muero.

Inútil es mi oreja sin tus voces,
inútiles mis ojos y mi pelo
hasta que tu amistad los coge y toca.

Mi mejilla se mustia sin tus roces,
mi paz de guerra está, mi amor de duelo...
¡A tanto obliga un beso de tu boca!

---

[3] Cerro aislado en un llano.

19
De amor penadas se alicaen las flores

De amor penadas se alicaen las flores,
se agriendulzan de tierra los arados,
y balan malheridos los ganados,
y vagan semiciegos los pastores.

Perniquiebran sus cumbres de temblores
las palmeras de cuellos sublunados,
y esquivamente solos, malparados
boquiabren pecho y voz los ruiseñores.

Penado voy de amor, y alicaído,
por esta bendición de aires y aulagas,
como cordero cojo me rezago.

Más triste y seguirente que un balido
en ti busco el alivio de mis llagas,
y cuanto más lo busco, más me llago.

20
Dichoso el campesino, que ara y lanza

I

Dichoso el campesino, que ara y lanza,
y al mismo tiempo canta con reposo,
el grano volandero y provechoso,
propósito final de la labranza.
Que aunque a un tiempo de mucha destemplanza
sucede otro aún menos lluvioso
dentro del pensamiento caviloso
siempre le queda un algo de esperanza.
Desgraciado de mí, que no me queda
no ya un algo, ni mi nada miserable
que en la esperanza porfiar me haga.
Desesperado y sin alivio, rueda
esta pena de brote inagotable,
esta vida tristísima de llaga.

II

¿Quién no ve en la presencia de un testigo
de la espuma y el mar en el salero?
¿En qué gran cantidad no se halla un cero?
Sin alabar a Dios ¿quién trilla el trigo?
¿Qué rosa nace sin contar contigo?
¿Quién no pone el reparo de algún pero
al aire de la flor del limonero
cuando sabe del aire que persigo?
Nadie piensa en María sin pensarte,
si alguien dice: ¡Jesús!, es sólo al verte,

todo el que grita: ¡miel!, libo tu mano.
Malherida la luz de parte a parte
anda sin ti, tocado yo de muerte,
todos alicaídos, nadie sano.

III

¡La luz, la luz, la luz en la montaña!;
la luz, la luz, la luz en la ladera;
ni la estorba una fronda ni la altera
ni el leve movimiento de una caña.
¡Con cuánta precisión y cuánta saña
la luz da en el perfil de la cumbrera!
¡Ay, si sobre el perfil ilustre viera
el perfil que mis noches acompaña!
Se le ven el primor y el pormenor,
el pórfido y el mármol arriesgado
donde la pena de mi amor sestea.
La luz, la luz, la luz: ¡qué alrededor
del monte más brillante y sosegado...!
Ni mi amor, ni mi pena, se menea.

IV

Sólo faltaba el aire de este día
donde tanta luz reina y tanto cielo,
la de un florido y viejo terciopelo
casi argentado y casi en la agonía.
Lo ha desplegado en paz y en armonía
el plumaje de un lilio sobre el suelo,
más fino que en su sombra y que su anhelo
con una sencillez sin compañía.

Rostriazul, cabizbajo, boquiabierto,
de oriámbares cebrados, ¡con qué tacto!,
los párpados de olor de su hermosura,
sólo falta que vengas a mi huerto
y digas: ¡lilio!, amor, para en el acto
ser toda la creación lilial de pura.

21
Gozar y no morirse de contento

Gozar y no morirse de contento,
sufrir, y no vencerse en el sollozo;
¡oh, qué ejemplar severidad del gozo
y qué serenidad del sufrimiento!

Dar a la sombra el estremecimiento,
si a la luz el brocal[4] del alborozo,
y llorar tierra adentro como el pozo,
siendo al aire un sencillo monumento.

Anda que te andarás, ir por la pena,
pena adelante, a penas y alegrías
sin declarar fragilidad ni un tanto.

¡Esa tristeza de ojos qué serena!:
¡qué agraciado en su centro encontrarías
el desgraciado límite del llanto!

---

[4] Muro pequeño que rodea la boca de un pozo.

22
Ni a sol ni a sombra vivo con sosiego

Ni a sol ni a sombra vivo con sosiego,
que a sol y a sombra muero de baldío
con la sangre visual del labio mío
sin la tuya negándole su riego.

Árida está mi sangre sin tu apego
como un cardo montés en el estío...
¿Cuándo será que oiga el pío-pío
de tu beso, mollar pájaro ciego?

Más negros que tiznados mis amores,
hasta los pormenores más livianos
detallan sus pesares con qué brío.

Dóralos con tus besos, ruiseñores,
alrededor la jaula de tus manos
y dentro, preso a gusto, mi albedrío[5].

---

[5] Capacidad de una persona para actuar según
su elección.

23
La pena hace silbar, lo he comprobado

La pena hace silbar, lo he comprobado
cuando el que pena, pena malherido,
pena de desamparo desabrido,
pena de soledad de enamorado.

¿Qué ruiseñor amante no ha lanzado
pálido, fervoroso y afligido,
desde la ilustre soledad del nido
el amoroso silbo vulnerado?

¿Qué tórtola exquisita se resiste
ante el silencio crudo y favorable
a expresar su quebranto de viuda?

Silbo en mi soledad, pájaro triste,
con una devoción inagotable,
y me atiende la sierra siempre muda.

El rayo que no cesa

24
Un carnívoro cuchillo

Un carnívoro cuchillo
de ala dulce y homicida
sostiene un vuelo y un brillo
alrededor de mi vida.

Rayo de metal crispado
fulgentemente caído,
picotea mi costado
y hace en él un triste nido.

Mi sien, florido balcón
de mis edades tempranas,
negra está, y mi corazón,
y mi corazón con canas.

Tal es la mala virtud
del rayo que me rodea,
que voy a mi juventud
como la luna a la aldea.

Recojo con las pestañas
sal del alma y sal del ojo
y flores de telarañas
de mis tristezas recojo.

¿Adónde iré que no vaya
mi perdición a buscar?
Tu destino es de la playa
y mi vocación del mar.

Descansar de esta labor
de huracán, amor o infierno
no es posible, y el dolor
me hará mi pesar eterno.

Pero al fin podré vencerte,
ave y rayo secular[1],
corazón que de la muerte
nadie ha de hacerme dudar.

Sigue, pues, sigue, cuchillo,
volando, hiriendo. algún día
se pondrá el tiempo amarillo
sobre mi fotografía.

[1] Duración de un siglo.

25
¿No cesará este rayo que me habita?

¿No cesará este rayo que me habita
el corazón de exasperadas fieras
y de fraguas coléricas y herreras
donde el metal más fresco se marchita?

¿No cesará esta terca estalactita
de cultivar sus duras cabelleras
como espadas y rígidas hogueras
hacia mi corazón que muge y grita?

Este rayo ni cesa ni se agota:
de mí mismo tomó su procedencia
y ejercita en mí mismo sus furores.

Esta obstinada piedra de mí brota
y sobre mí dirige la insistencia
de sus lluviosos rayos destructores.

26
Me tiraste un limón, y tan amargo

Me tiraste un limón, y tan amargo,
con una mano cálida, y tan pura,
que no menoscabó su arquitectura
y probé su amargura sin embargo.

Con el golpe amarillo, de un letargo
dulce pasó a una ansiosa calentura
mi sangre, que sintió la mordedura
de una punta de seno duro y largo.

Pero al mirarte y verte la sonrisa
que te produjo el limonado hecho,
a mi voraz malicia tan ajena,

se me durmió la sangre en la camisa,
y se volvió el poroso y áureo pecho
una picuda y deslumbrante pena.

27
Umbrío por la pena, casi bruno

Umbrío por la pena, casi bruno,
porque la pena tizna cuando estalla,
donde yo no me hallo no se halla
hombre más apenado que ninguno.

Sobre la pena duermo solo y uno,
pena es mi paz y pena mi batalla,
perro que ni me deja ni se calla,
siempre a su dueño fiel, pero importuno.

Cardos y penas llevo por corona,
cardos y penas siembran sus leopardos
y no me dejan bueno hueso alguno.

No podrá con la pena mi persona
rodeada de penas y cardos:
¡cuánto penar para morirse uno!

28
Tengo estos huesos hechos a las penas

Tengo estos huesos hechos a las penas
y a las cavilaciones estas sienes:
pena que vas, cavilación que vienes
como el mar de la playa a las arenas.

Como el mar de la playa a las arenas,
voy en este naufragio de vaivenes
por una noche oscura de sartenes
redondas, pobres, tristes y morenas.

Nadie me salvará de este naufragio
si no es tu amor, la tabla que procuro,
si no es tu voz, el norte que pretendo.

Eludiendo por eso el mal presagio
de que ni en ti siquiera habré seguro,
voy entre pena y pena sonriendo.

29
Te me mueres de casta y de sencilla

Te me mueres de casta y de sencilla:
estoy convicto, amor, estoy confeso
de que, raptor intrépido de un beso,
yo te libé la flor de la mejilla.

Yo te libé la flor de la mejilla,
y desde aquella gloria, aquel suceso,
tu mejilla, de escrúpulo[2] y de peso,
se te cae deshojada y amarilla.

El fantasma del beso delincuente
el pómulo te tiene perseguido,
cada vez más patente, negro y grande.

Y sin dormir estás, celosamente,
vigilando mi boca ¡con qué cuido!
para que no se vicie y se desmande.

---

[2] Remordimiento.

30
Una querencia tengo por tu acento

Una querencia[3] tengo por tu acento,
una apetencia por tu compañía
y una dolencia de melancolía
por la ausencia del aire de tu viento.

Paciencia necesita mi tormento,
urgencia de tu garza galanía,
tu clemencia solar mi helado día,
tu asistencia la herida en que lo cuento.

¡Ay querencia, dolencia y apetencia!:
tus sustanciales besos, mi sustento,
me faltan y me muero sobre mayo.

Quiero que vengas, flor, desde tu ausencia,
a serenar la sien del pensamiento
que desahoga en mí su eterno rayo.

---

[3] Inclinación o tendencia.

31
Silencio de metal triste y sonoro

Silencio de metal triste y sonoro,
espadas congregando con amores
en el final de huesos destructores
de la región volcánica del toro.

Una humedad de femenino oro
que olió puso en su sangre resplandores,
y refugió un bramido entre las flores
como un huracanado y vasto lloro.

De amorosas y cálidas cornadas
cubriendo está los trebolares tiernos
con el dolor de mil enamorados.

Bajo su piel las furias refugiadas
son en el nacimiento de sus cuernos
pensamientos de muerte edificados.

32
No me conformo, no: me desespero

No me conformo, no: me desespero
como si fuera un huracán de lava
en el presidio de una almendra esclava
o en el penal colgante de un jilguero.

Besarte fue besar un avispero
que me clava al tormento y me desclava
y que cava un hoyo fúnebre y lo cava
dentro del corazón donde me muero.

No me conformo, no; ya es tanto y tanto
idolatrar la imagen de tu beso
y perseguir el curso de tu aroma.

Un enterrado vivo por el llanto,
una revolución dentro de un hueso,
un rayo soy sujeto a una redoma[4].

---

[4] Recipiente de cristal.

33
Como el toro he nacido para el luto

Como el toro he nacido para el luto
y el dolor, como el toro estoy marcado
por un hierro infernal en el costado
y por varón en la ingle con un fruto.

Como el toro lo encuentra diminuto
todo mi corazón desmesurado,
y del rostro del beso enamorado,
como el toro a tu amor se lo disputo.

Como el toro me crezco en el castigo,
la lengua en corazón tengo bañada
y llevo al cuello un vendaval sonoro.

Como el toro te sigo y te persigo,
y dejas mi deseo en una espada,
como el toro burlado, como el toro.

34
Por una senda van los hortelanos

Por una senda van los hortelanos,
que es la sagrada hora del regreso,
con la sangre injuriada por el peso
de inviernos, primaveras y veranos.

Vienen de los esfuerzos sobrehumanos
y van a la canción, y van al beso,
y van dejando por el aire impreso
un olor de herramientas y de manos.

Por otra senda yo, por otra senda
que no conduce al beso aunque es la hora,
sino que merodea sin destino.

Bajo su frente trágica y tremenda,
un toro solo en la ribera llora
olvidando que es toro y masculino.

35
Elegía

(En Orihuela, su pueblo y el mío, se
me ha muerto como del rayo Ramón Sijé,
con quien tanto quería).

Yo quiero ser llorando el hortelano
de la tierra que ocupas y estercolas,
compañero del alma, tan temprano.

Alimentando lluvias, caracolas
y órganos mi dolor sin instrumento,
a las desalentadas amapolas

daré tu corazón por alimento.
Tanto dolor se agrupa en mi costado,
que por doler me duele hasta el aliento.

Un manotazo duro, un golpe helado,
un hachazo invisible y homicida,
un empujón brutal te ha derribado.

No hay extensión más grande que mi herida,
lloro mi desventura y sus conjuntos
y siento más tu muerte que mi vida.

Ando sobre rastrojos de difuntos,
y sin calor de nadie y sin consuelo
voy de mi corazón a mis asuntos.

Temprano levantó la muerte el vuelo,
temprano madrugó la madrugada,
temprano estás rodando por el suelo.

No perdono a la muerte enamorada,
no perdono a la vida desatenta,
no perdono a la tierra ni a la nada.

En mis manos levanto una tormenta
de piedras, rayos y hachas estridentes
sedienta de catástrofes y hambrienta.

Quiero escarbar la tierra con los dientes,
quiero apartar la tierra parte a parte
a dentelladas secas y calientes.

Quiero minar la tierra hasta encontrarte
y besarte la noble calavera
y desamordazarte y regresarte.

Volverás a mi huerto y a mi higuera:
por los altos andamios de las flores
pajareará tu alma colmenera

de angelicales ceras y labores.
Volverás al arrullo de las rejas
de los enamorados labradores.

Alegrarás la sombra de mis cejas,
y tu sangre se irán a cada lado
disputando tu novia y las abejas.

Tu corazón, ya terciopelo ajado,
llama a un campo de almendras espumosas
mi avariciosa voz de enamorado.

A las aladas almas de las rosas
del almendro de nata te requiero,
que tenemos que hablar de muchas cosas,
compañero del alma, compañero.

Viento del pueblo

36
Elegía primera

(A Federico García Lorca, poeta)

Atraviesa la muerte con herrumbrosas lanzas,
y en traje de cañón, las parameras[1]
donde cultiva el hombre raíces y esperanzas,
y llueve sal, y esparce calaveras.

Verdura de las eras,
¿qué tiempo prevalece la alegría?
El sol pudre la sangre, la cubre de asechanzas
y hace brotar la sombra más sombría.

El dolor y su manto
vienen una vez más a nuestro encuentro.
Y una vez más al callejón del llanto
lluviosamente entro.

Siempre me veo dentro
de esta sombra de acíbar[2] revocada,
amasado con ojos y bordones,
que un candil de agonía tiene puesto a la entrada
y un rabioso collar de corazones.

Llorar dentro de un pozo,
en la misma raíz desconsolada

---

[1] Territorio donde abundan los páramos.
[2] Jugo amargo de las hojas del áloe.

del agua, del sollozo,
del corazón quisiera:
donde nadie me viera la voz ni la mirada,
ni restos de mis lágrimas me viera.

Entro despacio, se me cae la frente
despacio, el corazón se me desgarra
despacio, y despaciosa y negramente
vuelvo a llorar al pie de una guitarra.

Entre todos los muertos de elegía,
sin olvidar el eco de ninguno,
por haber resonado más en el alma mía,
la mano de mi llanto escoge uno.

Federico García
hasta ayer se llamó: polvo se llama.
Ayer tuvo un espacio bajo el día
que hoy el hoyo le da bajo la grama.

¡Tanto fue! ¡Tanto fuiste y ya no eres!
Tu agitada alegría,
que agitaba columnas y alfileres,
de tus dientes arrancas y sacudes,
y ya te pones triste, y sólo quieres
ya el paraíso de los ataúdes.

Vestido de esqueleto,
durmiéndote de plomo,
de indiferencia armado y de respeto,
te veo entre tus cejas si me asomo.

Se ha llevado tu vida de palomo,
que ceñía de espuma
y de arrullos el cielo y las ventanas,
como un raudal de pluma
el viento que se lleva las semanas.

Primo de las manzanas,
no podrá con tu savia la carcoma,
no podrá con tu muerte la lengua del gusano,
y para dar salud fiera a su poma
elegirá tus huesos el manzano.

Cegado el manantial de tu saliva,
hijo de la paloma,
nieto del ruiseñor y de la oliva:
serás, mientras la tierra vaya y vuelva,
esposo siempre de la siempreviva,
estiércol padre de la madreselva.

¡Qué sencilla es la muerte: qué sencilla,
pero qué injustamente arrebatada!
No sabe andar despacio, y acuchilla
cuando menos se espera su turbia cuchillada.

Tú, el más firme edificio, destruido,
tú, el gavilán más alto, desplomado,
tú, el más grande rugido,
callado, y más callado, y más callado.

Caiga tu alegre sangre de granado,
como un derrumbamiento de martillos feroces,
sobre quien te detuvo mortalmente.

Salivazos y hoces
caigan sobre la mancha de su frente.

Muere un poeta y la creación se siente
herida y moribunda en las entrañas.
Un cósmico temblor de escalofríos
mueve temiblemente las montañas,
un resplandor de muerte la matriz de los ríos.

Oigo pueblos de ayes y valles de lamentos,
veo un bosque de ojos nunca enjutos,
avenidas de lágrimas y mantos:
y en torbellino de hojas y de vientos,
lutos tras otros lutos y otros lutos,
llantos tras otros llantos y otros llantos.

No aventarán, no arrastrarán tus huesos,
volcán de arrope[3], trueno de panales,
poeta entretejido, dulce, amargo,
que al calor de los besos
sentiste, entre dos largas hileras de puñales,
largo amor, muerte larga, fuego largo.

Por hacer a tu muerte compañía,
vienen poblando todos los rincones
del cielo y de la tierra bandadas de armonía,
relámpagos de azules vibraciones.
Crótalos[4] granizados a montones,
batallones de flautas, panderos y gitanos,

[3] Jarabe con trozos de fruta.
[4] Castañuelas.

ráfagas de abejorros y violines,
tormentas de guitarras y pianos,
irrupciones de trompas y clarines.

Pero el silencio puede más que tanto instrumento.

Silencioso, desierto, polvoriento
en la muerte desierta,
parece que tu lengua, que tu aliento,
los ha cerrado el golpe de una puerta.

Como si paseara con tu sombra,
paseo con la mía
por una tierra que el silencio alfombra,
que el ciprés apetece más sombría.

Rodea mi garganta tu agonía
como un hierro de horca
y pruebo una bebida funeraria.
Tú sabes, Federico García Lorca,
que soy de los que gozan una muerte diaria.

37
El niño yuntero

Carne de yugo, ha nacido
más humillado que bello,
con el cuello perseguido
por el yugo para el cuello.

Nace, como la herramienta,
a los golpes destinado,
de una tierra descontenta
y un insatisfecho arado.

Entre estiércol puro y vivo
de vacas, trae a la vida
un alma color de olivo
vieja ya y encallecida.

Empieza a vivir, y empieza
a morir de punta a punta
levantando la corteza
de su madre con la yunta.

Empieza a sentir, y siente
la vida como una guerra
y a dar fatigosamente
en los huesos de la tierra.

Contar sus años no sabe,
y ya sabe que el sudor
es una corona grave
de sal para el labrador.

Trabaja, y mientras trabaja
masculinamente serio,
se unge de lluvia y se alhaja
de carne de cementerio.

A fuerza de golpes, fuerte,
y a fuerza de sol, bruñido,
con una ambición de muerte
despedaza un pan reñido.

Cada nuevo día es
más raíz, menos criatura,
que escucha bajo sus pies
la voz de la sepultura.

Y como raíz se hunde
en la tierra lentamente
para que la tierra inunde
de paz y panes su frente.

Me duele este niño hambriento
como una grandiosa espina,
y su vivir ceniciento
resuelve mi alma de encina.

Lo veo arar los rastrojos[5],
y devorar un mendrugo,
y declarar con los ojos
que por qué es carne de yugo.

---

[5] Campos no labrados.

Me da su arado en el pecho,
y su vida en la garganta,
y sufro viendo el barbecho
tan grande bajo su planta.

¿Quién salvará a este chiquillo
menor que un grano de avena?
¿De dónde saldrá el martillo
verdugo de esta cadena?

Que salga del corazón
de los hombres jornaleros,
que antes de ser hombres son
y han sido niños yunteros.

38
Jornaleros

Jornaleros que habéis cobrado en plomo
sufrimientos, trabajos y dineros.
Cuerpos de sometido y alto lomo:
jornaleros.

Españoles que España habéis ganado
labrándola entre lluvias y entre soles.
Rabadanes[6] del hambre y del arado:
españoles.

Esta España que, nunca satisfecha
de malograr la flor de la cizaña,
de una cosecha pasa a otra cosecha:
esta España.

Poderoso homenaje a las encinas,
homenaje del toro y el coloso,
homenaje de páramos y minas
poderoso.

Esta España que habéis amamantado
con sudores y empujes de montañas,
codician los que nunca han cultivado
esta España.

---

[6] Pastor de más de una ganadería.

¿Dejaremos llevar cobardemente
riquezas que han forjado nuestros remos?
¿Campos que han humedecido nuestra frente
dejaremos?

Adelanta, español, una tormenta
de martillos y hoces, ruge y canta.
Tu porvenir, tu orgullo, tu herramienta
adelanta.

Los verdugos, ejemplo de tiranos,
Hitler y Mussolini, labran yugos.
Sumid en un retrete de gusanos
los verdugos.

Ellos, ellos nos traen una cadena
de cárceles, miserias y atropellos.
¿Quién España destruye y desordena?
¡Ellos! ¡Ellos!

Fuera, fuera, ladrones de naciones,
guardianes de la cúpula banquera,
chuecas[7] del capital y sus doblones:
¡fuera! ¡fuera!

Arrojados seréis como basura
de todas partes y de todos lados.
No habrá para vosotros sepultura,
arrojados.

---

[7] Deshonestas.

La saliva será vuestra mortaja,
vuestro final la bota vengativa,
y sólo os dará sombra, paz y caja
la saliva.

Jornaleros: España, loma a loma,
es de gañanes, pobres y braceros.
¡No permitáis que el rico se la coma,
jornaleros!

39
Aceituneros

Andaluces de Jaén,
aceituneros altivos,
decidme en el alma: ¿quién,
quién levantó los olivos?

No los levantó la nada,
ni el dinero, ni el señor,
sino la tierra callada,
el trabajo y el sudor.

Unidos al agua pura
y a los planetas unidos,
los tres dieron la hermosura
de los troncos retorcidos.

Levántate, olivo cano,
dijeron al pie del viento.
Y el olivo alzó una mano
poderosa de cimiento.

Andaluces de Jaén,
aceituneros altivos,
decidme en el alma: ¿quién
amamantó los olivos?

Vuestra sangre, vuestra vida,
no la del explotador
que se enriqueció en la herida
generosa del sudor.

No la del terrateniente
que os sepultó en la pobreza,
que os pisoteó la frente,
que os redujo la cabeza.

Árboles que vuestro afán
consagró al centro del día
eran principio de un pan
que sólo el otro comía.

¡Cuántos siglos de aceituna,
los pies y las manos presos,
sol a sol y luna a luna,
pesan sobre vuestros huesos!

Andaluces de Jaén,
aceituneros altivos,
pregunta mi alma: ¿de quién,
de quién son estos olivos?

Jaén, levántate brava
sobre tus piedras lunares,
no vayas a ser esclava
con todos tus olivares.

Dentro de la claridad
del aceite y sus aromas,
indican tu libertad
la libertad de tus lomas.

40
El sudor

En el mar halla el agua su paraíso ansiado
y el sudor su horizonte, su fragor, su plumaje.
El sudor es un árbol desbordante y salado,
un voraz oleaje.

Llega desde la edad del mundo más remota
a ofrecer a la tierra su copa sacudida,
a sustentar la sed y la sal gota a gota,
a iluminar la vida.

Hijo del movimiento, primo del sol, hermano
de la lágrima, deja rodando por las eras,
del abril al octubre, del invierno al verano,
áureas enredaderas.

Cuando los campesinos van por la madrugada
a favor de la esteva removiendo el reposo,
se visten una blusa silenciosa y dorada
de sudor silencioso.

Vestidura de oro de los trabajadores,
adorno de las manos como de las pupilas.
Por la atmósfera esparce sus fecundos olores
una lluvia de axilas.

El sabor de la tierra se enriquece y madura:
caen los copos del llanto laborioso y oliente,

maná[8] de los varones y de la agricultura,
bebida de mi frente.

Los que no habéis sudado jamás, los que andáis yertos
en el ocio sin brazos, sin música, sin poros,
no usaréis la corona de los poros abiertos
ni el poder de los toros.

Viviréis maloliendo, moriréis apagados:
la encendida hermosura reside en los talones
de los cuerpos que mueven sus miembros trabajados
como constelaciones.

Entregad al trabajo, compañeros, las frentes:
que el sudor, con su espada de sabrosos cristales,
con sus lentos diluvios, os hará transparentes,
venturosos, iguales.

---

[8] Beneficio o regalo inesperado.

41
Canción del esposo soldado

He poblado tu vientre de amor y sementera,
he prolongado el eco de sangre a que respondo
y espero sobre el surco como el arado espera:
he llegado hasta el fondo.

Morena de altas torres, alta luz y ojos altos,
esposa de mi piel, gran trago de mi vida,
tus pechos locos crecen hacia mí dando saltos
de cierva concebida.

Ya me parece que eres un cristal delicado,
temo que te me rompas al más leve tropiezo,
y a reforzar tus venas con mi piel de soldado
fuera como el cerezo.

Espejo de mi carne, sustento de mis alas,
te doy vida en la muerte que me dan y no tomo.
Mujer, mujer, te quiero cercado por las balas,
ansiado por el plomo.

Sobre los ataúdes feroces en acecho,
sobre los mismos muertos sin remedio y sin fosa
te quiero, y te quisiera besar con todo el pecho
hasta en el polvo, esposa.

Cuando junto a los campos de combate te piensa
mi frente que no enfría ni aplaca tu figura,
te acercas hacia mí como una boca inmensa
de hambrienta dentadura.

Escríbeme a la lucha, siénteme en la trinchera:
aquí con el fusil tu nombre evoco y fijo,
y defiendo tu vientre de pobre que me espera,
y defiendo tu hijo.

Nacerá nuestro hijo con el puño cerrado,
envuelto en un clamor de victoria y guitarras,
y dejaré a tu puerta mi vida de soldado
sin colmillos ni garras.

Es preciso matar para seguir viviendo.
Un día iré a la sombra de tu pelo lejano,
y dormiré en la sábana de almidón y de estruendo
cosida por tu mano.

Tus piernas implacables al parto van derechas,
y tu implacable boca de labios indomables,
y ante mi soledad de explosiones y brechas
recorres un camino de besos implacables.

Para el hijo será la paz que estoy forjando.
Y al fin un océano de irremediables huesos
tu corazón y el mío naufragarán, quedando
una mujer y un hombre gastados por los besos.

42
Vientos del pueblo me llevan

Vientos del pueblo me llevan,
vientos del pueblo me arrastran,
me esparcen el corazón
y me aventan[9] la garganta.

Los bueyes doblan la frente,
impotentemente mansa,
delante de los castigos:
los leones la levantan
y al mismo tiempo castigan
con su clamorosa zarpa.

No soy de un pueblo de bueyes,
que soy de un pueblo que embargan
yacimientos de leones,
desfiladeros de águilas
y cordilleras de toros
con el orgullo en el asta.
Nunca medraron los bueyes
en los páramos de España.

¿Quién habló de echar un yugo
sobre el cuello de esta raza?
¿Quién ha puesto al huracán
jamás ni yugos ni trabas,
ni quién al rayo detuvo
prisionero en una jaula?

---

[9] Echar al viento.

Asturianos de braveza,
vascos de piedra blindada,
valencianos de alegría
y castellanos de alma,
labrados como la tierra
y airosos como las alas;
andaluces de relámpago,
nacidos entre guitarras
y forjados en los yunques
torrenciales de las lágrimas;
extremeños de centeno,
gallegos de lluvia y calma,
catalanes de firmeza,
aragoneses de casta,
murcianos de dinamita
brutalmente propagada,
leoneses, navarros, dueños
del hambre, el sudor y el hacha,
reyes de la minería,
señores de la labranza,
hombres que entre las raíces,
como raíces gallardas,
vais de la vida a la muerte,
vais de la nada a la nada:
yugos os quieren poner
gentes de la hierba mala,
yugos que habéis de dejar
rotos sobre sus espaldas.

Crepúsculo de los bueyes
está despuntando el alba.

Los bueyes mueren vestidos
de humildad y olor de cuadra:
las águilas, los leones
y los toros de arrogancia,
y detrás de ellos el cielo
ni se enturbia ni se acaba.
La agonía de los bueyes
tiene pequeña la cara,
la del animal varón
toda la creación agranda.

Si me muero, que me muera
con la cabeza muy alta.
Muerto y veinte veces muerto,
la boca contra la grama,
tendré apretados los dientes
y decidida la barba.

Cantando espero a la muerte,
que hay ruiseñores que cantan
encima de los fusiles
y en medio de las batallas.

43
Campesino de España

Traspasada por junio,
por España y la sangre,
se levanta mi lengua
con clamor a llamarte.

Campesino que mueres,
campesino que yaces
en la tierra que siente
no tragar alemanes,
no morder italianos:
español que te abates
con la nuca marcada
por un yugo infamante,
que traicionas al pueblo
defensor de los panes:
campesino, despierta,
español, que no es tarde.

Calabozos y hierros,
calabozos y cárceles,
desventuras, presidios,
atropellos y hambres,
eso estás defendiendo,
no otra cosa más grande.
Perdición de tus hijos,
maldición de tus padres,
que doblegas tus huesos
al verdugo sangrante,
que deshonras tu trigo,

que tu tierra deshaces,
campesino, despierta,
español, que no es tarde.

Retroceden al hoyo
que se cierra y se abre,
por la fuerza del pueblo
forjador de verdades,
escuadrones del crimen,
corazones brutales,
dictadores de polvo
soberanos voraces.

Con la prisa del fuego,
en un mágico avance,
un ejército férreo
que cosecha gigantes
los arrastra hasta el polvo,
hasta el polvo los barre.

No hay quien sitie la vida,
no hay quien cerque la sangre
cuando empuña sus alas
y las clava en el aire.

La alegría y la fuerza
de estos músculos parte
como un hondo y sonoro
manantial de volcanes.

Vencedores seremos,
porque somos titanes

sonriendo a las balas
y gritando: ¡Adelante!
La salud de los trigos
sólo aquí huele y arde.

De la muerte y la muerte
sois: de nadie y de nadie.
De la vida nosotros,
del sabor de los árboles.

Victoriosos saldremos
de las fúnebres fauces,
remontándonos libres
sobre tantos plumajes,
dominantes las frentes,
el mirar dominante,
y vosotros vencidos
como aquellos cadáveres.

Campesino, despierta,
español, que no es tarde.
A este lado de España
esperamos que pases:
que tu tierra y tu cuerpo
la invasión no se trague.

El hombre acecha

44
El hambre

I

Tened presente el hambre: recordad su pasado
turbio de capataces que pagaban en plomo.
Aquel jornal al precio de la sangre cobrado,
con yugos en el alma, con golpes en el lomo.

El hambre paseaba sus vacas exprimidas,
sus mujeres resecas, sus devoradas ubres,
sus ávidas quijadas, sus miserables vidas
frente a los comedores y los cuerpos salubres[1].

Los años de abundancia, la saciedad, la hartura
eran sólo de aquellos que se llamaban amos.
Para que venga el pan justo a la dentadura
del hambre de los pobres aquí estoy, aquí estamos.

Nosotros no podemos ser ellos, los de enfrente,
los que entienden la vida por un botín sangriento:
como los tiburones, voracidad y diente,
panteras deseosas de un mundo siempre hambriento.

Años del hambre han sido para el pobre sus años.
Sumaban para el otro su cantidad los panes.
Y el hambre alobadaba sus rapaces rebaños
de cuervos, de tenazas, de lobos, de alacranes.

---

[1] Saludable o sano.

Hambrientamente lucho yo, con todas mis brechas,
cicatrices y heridas, señales y recuerdos
del hambre, contra tantas barrigas satisfechas:
cerdos con un origen peor que el de los cerdos.

Por haber engordado tan baja y brutalmente,
más bajo de donde los cerdos se solazan,
seréis atravesados por esta gran corriente
de espigas que llamean, de puños que amenazan.

No habéis querido oír con orejas abiertas
el llanto de millones de niños jornaleros.
Ladrabais cuando el hambre llegaba a vuestras puertas
a pedir con la boca de los mismos luceros.

En cada casa, un odio como una higuera fosca,
como un tremante[2] toro con los cuernos tremantes,
rompe por los tejados, os cerca y os embosca,
y os destruye a cornadas, perros agonizantes.

II

El hambre es el primero de los conocimientos:
tener hambre es la cosa primera que se aprende.
Y la ferocidad de nuestros sentimientos,
allá donde el estómago se origina, se enciende.

Uno no es tan humano que no estrangula un día
pájaros sin sentir herida la conciencia:

2 Tembloroso.

que no sea capaz de ahogar en nieve fría
palomas que no saben si no es de la inocencia.

El animal influye sobre mí con extremo,
la fiera late en todas mis fuerzas, mis pasiones.
A veces, he de hacer un esfuerzo supremo
para acallar en mí la voz de los leones.

Me enorgullece el título de animal en mi vida,
pero en el animal humano persevero.
Y busco por mi cuerpo lo más puro que anida,
bajo tanta maleza, con su valor primero.

Por hambre vuelve el hombre sobre los laberintos
donde la vida habita siniestramente sola.
Reaparece la fiera, recobra sus instintos,
sus patas erizadas, sus rencores, su cola.

Arroja los estudios y la sabiduría,
y se quita la máscara, la piel de la cultura,
los ojos de la ciencia, la corteza tardía
de los conocimientos que descubre y procura.

Entonces sólo sabe del mal, del exterminio.
Inventa gases, lanza motivos destructores,
regresa a la pezuña, retrocede al dominio
del colmillo, y avanza sobre los comedores.

Se ejercita en la bestia, y empuña la cuchara
dispuesto a que ninguno se le acerque a la mesa.
Entonces sólo veo sobre el mundo una piara
de tigres y en mis ojos la visión duele y pesa.

Yo no tengo en el alma tanto tigre admitido,
tanto chacal prohijado, que el vino que me toca,
el pan, el día, el hambre no tenga compartido
con otras hambres puestas noblemente en la boca.

Ayudadme a ser hombre: no me dejéis ser fiera
hambrienta, encarnizada, sitiada eternamente.
Yo, animal familiar, con esta sangre obrera
os doy la humanidad que mi canción presiente.

45
Las cárceles

I

Las cárceles se arrastran por la humedad del mundo,
van por la tenebrosa vía de los juzgados:
buscan a un hombre, buscan a un pueblo, lo persiguen,
lo absorben, se lo tragan.

No se ve, que se escucha la pena de metal,
el sollozo del hierro que atropellan y escupen:
el llanto de la espada puesta sobre los jueces
de cemento fangoso.

Allí, bajo la cárcel, la fábrica del llanto,
el telar de la lágrima que no ha de ser estéril,
el casco de los odios y de las esperanzas,
fabrican, tejen, hunden.

Cuando están las perdices más roncas y acopladas,
y el azul amoroso de las fuerzas expansivas,
un hombre hace memoria de la luz, de la tierra,
húmedamente negro.

Se da contra las piedras la libertad, el día,
el paso galopante de un hombre, la cabeza,
la boca con espuma, con decisión de espuma,
la libertad, un hombre.

Un hombre que cosecha y arroja todo el viento
desde su corazón donde crece un plumaje:

un hombre que es el mismo dentro de cada frío,
de cada calabozo.

Un hombre que ha soñado con las aguas del mar,
y destroza sus alas como un rayo amarrado,
y estremece las rejas, y se clava los dientes
en los dientes del trueno.

II

Aquí no se pelea por un buey desmayado,
sino por un caballo que ve pudrir sus crines,
y siente sus galopes debajo de los cascos
pudrirse airadamente.

Limpiad el salivazo que lleva en la mejilla,
y desencadenad el corazón del mundo,
y detened las fauces de las voraces cárceles
donde el sol retrocede.

La libertad se pudre desplumada en la lengua
de quienes son sus siervos más que sus poseedores.
Romped esas cadenas, y las otras que escucho
detrás de esos esclavos.

Esos que sólo buscan abandonar su cárcel,
su rincón, su cadena, no la de los demás.
Y en cuanto lo consiguen, descienden pluma a pluma,
enmohecen, se arrastran.

Son los encadenados por siempre desde siempre.
Ser libre es una cosa que sólo un hombre sabe:
sólo el hombre que advierto dentro de esa mazmorra
como si yo estuviera.

Cierra las puertas, echa la aldaba, carcelero.
Ata duro a ese hombre: no le atarás el alma.
Son muchas llaves, muchos cerrojos, injusticias:
no le atarás el alma.

Cadenas, sí: cadenas de sangre necesita.
Hierros venenosos, cálidos, sanguíneos eslabones,
nudos que no rechacen a los nudos siguientes
humanamente atados.

Un hombre aguarda dentro de un pozo sin remedio,
tenso, conmocionado, con la oreja aplicada.
Porque un pueblo ha gritado ¡libertad!, vuela el cielo.
Y las cárceles vuelan.

46
Llamo a los poetas

Entre todos vosotros, con Vicente Aleixandre
y con Pablo Neruda tomo silla en la tierra:
tal vez porque he sentido su corazón cercano
cerca de mí, casi rozando el mío.

Con ellos me he sentido más arraigado y hondo,
y además menos solo. Ya vosotros sabéis
lo solo que yo voy, por qué voy yo tan solo.
Andando voy, tan solos yo y mi sombra.

Alberti, Altolaguirre, Cernuda, Prados, Garfias,
Machado, Juan Ramón, León Felipe, Aparicio,
Oliver, Plaja, hablemos de aquello a que aspiramos:
por lo que enloquecemos lentamente.

Hablemos del trabajo, del amor sobre todo,
donde la telaraña y el alacrán no habitan.
Hoy quiero abandonarme tratando con vosotros
de la buena semilla de la tierra.

Dejemos el museo, la biblioteca, el aula
sin emoción, sin tierra, glacial, para otro tiempo.
Ya sé que en esos sitios tiritará mañana
mi corazón helado en varios tomos.

Quitémonos el pavo real y suficiente,
la palabra con toga, la pantera de acechos.
Vamos a hablar del día, de la emoción del día.
Abandonemos la solemnidad.

Así: sin esa barba postiza, ni esa cita
que la insolencia pone bajo nuestra nariz,
hablaremos unidos, comprendidos, sentados,
de las cosas del mundo frente al hombre.
Así descenderemos de nuestro pedestal,
de nuestra pobre estatua. Y a cantar entraremos
a una bodega, a un pecho, o al fondo de la tierra,
sin el brillo del lente polvoriento.

Ahí está Federico: sentémonos al pie
de su herida, debajo del chorro asesinado,
que quiero contener como si fuera mío,
y salta, y no se acalla entre las fuentes.

Siempre fuimos nosotros sembradores de sangre.
Por eso nos sentimos semejantes del trigo.
No reposamos nunca, y eso es lo que hace el sol,
y la familia del enamorado.

Siendo de esa familia, somos la sal del aire.
Tan sensibles al clima como la misma sal,
una racha de otoño nos deja moribundos
sobre la huella de los sepultados.

Eso sí: somos algo. Nuestros cinco sentidos
en todo arraigan, piden posesión y locura.
Agredimos al tiempo con la feliz cigarra,
con el terrestre sueño que alentamos.

Hablemos, Federico, Vicente, Pablo, Antonio,
Luis, Juan Ramón, Emilio, Manolo, Rafael,
Arturo, Pedro, Juan, Antonio, León Felipe.
Hablemos sobre el vino y la cosecha.

Si queréis, nadaremos antes en esa alberca[3],
en ese mar que anhela transparentar los cuerpos.
Veré si hablamos luego con la verdad del agua,
que aclara el labio de los que han mentido.

---

[3] Depósito artificial de agua para el riego.

Cancionero y romancero
de ausencias

47
El cementerio está cerca

El cementerio está cerca
de donde tú y yo dormimos,
entre nopales[1] azules,
pitas azules y niños
que gritan vívidamente
si un muerto nubla el camino.

De aquí al cementerio, todo
es azul, dorado, límpido.
Cuatro pasos, y los muertos.
Cuatro pasos, y los vivos.

Límpido, azul y dorado,
se hace allí remoto el hijo.

---

[1] Chumberas.

48
Llegó tan hondo el beso

Llegó tan hondo el beso
que traspasó y emocionó los muertos.

El beso trajo un brío
que arrebató la boca de los vivos.

El hondo beso grande
sintió breve los labios al ahondarse.

El beso aquel que quiso
cavar los muertos y sembrar los vivos.

49
Cada vez más presente

Cada vez más presente.
Como si un rayo raudo
te trajera a mi pecho.
Como un lento, rayo
lento.
Cada vez más ausente.
Como si un tren lejano
recorriera mi cuerpo.
Como si un negro barco
negro.

50
Escribí en el arenal

Escribí en el arenal
los tres nombres de la vida:
vida, muerte, amor.
Una ráfaga de mar,
tantas claras veces ida,
vino y nos borró.

51
Todas las casas son ojos

Todas las casas son ojos
que resplandecen y acechan.

Todas las casas son bocas
que escupen, muerden y besan.

Todas las casas son brazos
que se empujan y se estrechan.

De todas las casas salen
soplos de sombra y de selva.

En todas hay un clamor
de sangres insatisfechas.

Y a un grito todas las casas
se asaltan y se despueblan.

Y a un grito todas se aplacan,
y se fecundan, y se esperan.

52
Menos tu vientre

Menos tu vientre,
todo es confuso.
Menos tu vientre,
todo es futuro
fugaz, pasado
baldío, turbio.
Menos tu vientre,
todo es oculto.
Menos tu vientre,
todo inseguro,
todo postrero,
polvo sin mundo.
Menos tu vientre
todo es oscuro.
Menos tu vientre
claro y profundo.

53
Nanas de la cebolla

La cebolla es escarcha
cerrada y pobre:
escarcha de tus días
y de mis noches.
Hambre y cebolla:
hielo negro y escarcha
grande y redonda.

En la cuna del hambre
mi niño estaba.
Con sangre de cebolla
se amamantaba.
Pero tu sangre,
escarchada de azúcar,
cebolla y hambre.

Una mujer morena,
resuelta en luna,
derrama hilo a hilo
sobre la cuna.
Ríete, niño,
que te tragas la luna
cuando es preciso.

Alondra de mi casa,
ríete mucho.
Es tu risa en los ojos
la luz del mundo.

Ríete tanto
que en el alma, al oírte,
bata el espacio.

Tu risa me hace libre,
me pone alas.
Soledades me quita,
cárcel me arranca.
Boca que vuela,
corazón que en tus labios
relampaguea.

Es tu risa la espada
más victoriosa.
Vencedor de las flores
y las alondras.
Rival del sol,
porvenir de mis huesos
y de mi amor.

La carne aleteante,
súbito el párpado,
y el niño como nunca
coloreado.
¡Cuánto jilguero
se remonta, aletea,
desde tu cuerpo!

Desperté de ser niño.
Nunca despiertes.
Triste llevo la boca.

Ríete siempre.
Siempre en la cuna,
defendiendo la risa
pluma por pluma.

Ser de vuelo tan alto,
tan extendido,
que tu carne parece
cielo cernido.
¡Si yo pudiera
remontarme al origen
de tu carrera!

Al octavo mes ríes
con cinco azahares.
Con cinco diminutas
ferocidades.
Con cinco dientes
como cinco jazmines
adolescentes.

Frontera de los besos
serán mañana,
cuando en la dentadura
sientas un arma.
Sientas un fuego
correr dientes abajo
buscando el centro.

Vuela niño en la doble
luna del pecho.

Él, triste de cebolla.
Tú, satisfecho.
No te derrumbes.
No sepas lo que pasa
ni lo que ocurre.

DESPUÉS DE LA LECTURA

Los mitos no mueren

Primeros poemas

1. Analiza las estrofas de los poemas 1, 2 y 3. ¿Qué diferencias encuentras? ¿Cuál te parece más sencilla y cuál más compleja? Razona tu respuesta.

2. El poema 2 está estructurado a base de aclaraciones y de la repetición de un verbo. ¿A qué se refiere?

3. En el poema 3 Hernández imita a los poetas clásicos castellanos y utiliza una serie de metáforas para designar la boca de la amada. Concretamente utiliza tres flores, una fruta y una piedra preciosa. Señálalas y explica cuál es su parecido.

4. Los poemas 1 y 4 comparten una misma imagen. ¿De cuál se trata?

5. El poema 4 idealiza el paisaje con numerosas referencias. Realiza un campo semántico con palabras que designen el oficio de pastor.

Perito en lunas

6. En los anteriores poemas el sujeto lírico muchas veces estaba indicado en primera persona («ordeño», «leo»). ¿Qué sucede en esta serie de poemas?

7. En el poema 7, ¿qué rasgo tienen en común una columna, un surtidor y una serpiente?

8. Seguramente estos poemas son más difíciles de comprender, puesto que se basan en acertijos e ingeniosos juegos de imágenes que imitan al poeta Góngora. Elige un objeto de tu entorno cotidiano y escribe una adivinanza. Intenta que algunas de sus palabras rimen.

Ciclo Perito en lunas

9. El poema 14 es significativo porque hace de puente en su evolución poética. Por una parte sigue el modelo-acertijo de *Perito en lunas*, pero ya se evidencian algunos cambios. ¿Qué estrofa utiliza? ¿Es de arte mayor o menor? ¿Dónde encuentras la presencia del autor en el poema?

10. Los poemas 15 y 16 se articulan a través de la repetición de la misma palabra a principio de verso o de estrofa. ¿Cómo se llama este recurso literario?

11. El autor estructura el poema 15 diseminando algunas palabras (molino, piedra, aire) en las primeras estrofas y recogiéndolas en la octava estrofa. ¿Con qué otros términos sucede lo mismo?
En este mismo poema señala algunas hipérboles que encuentres y explícalas con tus propias palabras.

12. Del poema 17 al 23 se aprecia un importante cambio estrófico y un retorno al tema bucólico ya comentado en anteriores poemas, pero esta vez en clave amorosa. Señala los campos semánticos relacionados con el pastoreo y con el amor.

13. Indica en el poema 19 a partir de qué palabras el poeta forma media docena de compuestos. Explica los efectos que causa el amor en el paisaje.

14. El poema 20 es un soneto y se estructura temáticamente en dos partes bien diferenciadas. Explica cuáles son. ¿Coinciden con alguna diferencia estrófica?

15. Los cuartetos del poema 21 están construidos con oraciones impersonales. ¿Qué verbos utiliza el autor aquí?

16. En el poema 23 podemos rastrear varios casos de polipote. Busca en qué consiste este recurso y localiza en el texto algunos ejemplos. ¿Qué pretende conseguir el poeta de esta manera?

17. El autor en el poema 23 explica la causa de su silbo «escritura». ¿A qué se debe? ¿Con quién se compara? ¿Crees que en ese estado es más fácil estar inspirado?

El rayo que no cesa

18. Este libro está formado por sonetos, a excepción de los poemas 24 y 35. Analiza e identifica su estrofa. ¿Por qué motivo el poeta cambia de estrofa?

19. Subraya los adjetivos de las tres primeras estrofas del poema 24. ¿Qué atmósfera te sugieren?

20. Fíjate en la arquitectura compositiva del poema 25. ¿Qué tienen en común los cuartetos? ¿Y los tercetos? ¿Cómo se llaman esos recursos?

¿De dónde nace este rayo, este dolor, que atormenta al poeta?

En el segundo cuarteto aparecen tres metáforas para designar el rayo. Especifícalas.

21. Hernández a veces tomó como inspiración obras de la lírica popular al igual que otros poetas como Lorca o Alberti. Lee atentamente el poema 26, compáralo con estos poemillas y comenta las diferencias de rima y de verso.

> Arrojóme las naranjitas
> con los ramos del blanco azahar.
> Arrojómelas y arrojéselas
> y volviómelas a arrojar...

De tu ventana a la mía
me tiraste un limón,
me pegaste en el pecho
pecho de mi corazón...

22. El dolor en el poema 27 se traduce a través de varias formas. Indica las palabras que a través del color traduzcan este estado de ánimo. En anteriores poemas Hernández utiliza el polipote para intensificar sus emociones. ¿Cómo lo logra en este soneto?

23. En el poema 28 vuelve a expresarnos su dolor, esta vez aprovechando la imagen marinera de un naufragio. Sin embargo, el poeta confía en su salvación a través del amor. ¿En qué verso se aprecia?

24. Hernández en el poema 30 utiliza varios sustantivos abstractos para expresar la necesidad por la amada en vez de imágenes concretas. Indícalos en el texto.

25. El poema 31 anticipa una imagen clave que el autor desarrollará plenamente en el poema 33. ¿De cuál se trata? Copia las palabras y referencias que así lo indiquen.

26. El poeta en el poema 32 manifiesta su inconformismo frente al amor a través de varias exageraciones. Indícalas. ¿Cómo se llama este recurso?

27. Miguel Hernández en el poema 33 asimila su destino amoroso al de un toro. ¿A través de qué imágenes lo consigue? ¿Con qué recurso se estructura este soneto?

28. El poema 34, pese a ser un soneto que sigue con el símbolo del toro y está incluido en *El rayo que no cesa*, nos adelanta uno de los temas fundamentales que desarrollará en su próximo libro. Fíjate atentamente en los cuartetos. ¿Qué critican? ¿Por qué senda transita? ¿Con qué animal se identifica el poeta? ¿Por qué?

29. El poema 35 es quizás uno de los textos más conocidos y antologizados. Busca información y explica qué es una elegía.

Fíjate en la primera y última estrofa. ¿Cómo se califica el poeta?

Localiza en las primeras estrofas las imágenes que representan a la muerte.

Del verso 25 al 33 el poeta utiliza el recurso de la aliteración. ¿En qué consiste? ¿Con qué fines la emplea?

Desde un punto de vista temático la elegía podría dividirse en tres partes. Una primera en la que Hernández expresa el dolor por la muerte de su amigo; una segunda parte dominada por la rabia e impotencia del poeta, y una última parte más serena proyectada en el futuro. Señálalas en el poema.

Viento del pueblo

30. El poema 36 también es una elegía, esta vez a García Lorca. Busca información sobre la relación de Ramón Sijé y nuestro poeta e investiga las causas de sus muertes.

31. Compara detenidamente ambas elegías (35 y 36) y establece posibles diferencias entre ellas en cuanto a tipo de estrofa, extensión, complejidad metafórica, léxico empleado y estilo.

32. Teniendo el contexto histórico, ¿cuál es el tema que aparece reflejado en el poema 37?

Aquí podemos encontrar una primera parte con un tono emocional y otra más bien ideológica. Señálalas.

Hacia el final de la composición el autor adelanta uno de los temas que desarrollará con un tono más enérgico en el poema 38. ¿De qué se trata?

33. Lee atentamente los poemas 37 y 39. ¿Cuál es el sujeto lírico de cada poema? ¿Qué actitud representa «El niño yuntero» con respecto a «Aceituneros»? ¿Qué denuncia sobre todo en el poema 37? ¿Y en el 39?

34. Analiza métricamente la primera estrofa de los poemas 38, 40 y 41. ¿Notas alguna anomalía en estos versos? ¿Qué finalidad crees que pretende conseguir con el último verso de cada estrofa? ¿Recuerdas algún otro poeta que haya utilizado este recurso?

35. Hernández denuncia en el poema 39 a algunos dirigentes del fascismo. ¿A quiénes se refiere? Por otra parte el poeta militó activamente en el partido comunista. Busca en la séptima estrofa algún símbolo que lo identifique.

Señala en el texto interrogaciones retóricas, exclamaciones, apóstrofes y repeticiones. Si prestas atención el tono de este poema es bastante panfletario. ¿Crees que este texto fue escrito para ser leído o para ser recitado?

36. En este libro las referencias al sudor son múltiples. Busca las alusiones que encuentres en los poemas 38, 39 y 41. Sin embargo, en el poema 40 Hernández escribe todo un poema a algo en principio «poco poético». ¿Por qué? ¿Cuál es en definitiva el tema? ¿A quiénes acusa el poeta? ¿Por qué?

37. El poema 41 se articula en dos polos opuestos: amor-vida y guerra-muerte. Establece un campo semántico con palabras y expresiones extraídas del poema.

El poeta justifica la lucha con dos razones. ¿Cuáles? ¿Compartes su opinión?

38. En el poema 42, ¿qué animales se citan? ¿Qué crees que significa el verso de «No soy de un pueblo de bueyes»?

Señala los tópicos que Hernández establece según el lugar de origen. Coméntalos. ¿Estás de acuerdo?

39. Busca la definición de un apóstrofe en poesía. ¿Cómo lo utiliza el autor en el poema 43? Este mismo poema funciona como una canción con su estribillo incorporado. Subráyalo en el texto.

La estrofa que utiliza Miguel Hernández en los poemas 42 y 43 es la misma. ¿De cuál se trata? ¿Su origen es culto o popular? ¿Cómo riman sus versos?

El hombre acecha

40. En la primera parte del poema 44 Hernández utiliza un «nosotros» que se opone a un «ellos». ¿A quiénes se refiere con este último pronombre?

Si te fijas, en estos versos aparece un gran repertorio de nombres de un bestiario. Subraya los animales que figuran en el texto e indica qué connotaciones imprimen.

¿Qué efectos sobre el comportamiento del hombre produce el hambre?

¿Qué pide el poeta hacia el final del texto?

41. El poema 45 está compuesto por dos partes. ¿De qué trata la primera? ¿Y la segunda?

Señala en el texto las metáforas que el autor utiliza para caracterizar la cárcel. Comenta el tipo de adjetivos que califican este término. En el poema aparecen numerosos instrumentos de presidio (cadenas, mazmorras, etc.). Sin embargo, ¿qué parte del hombre nunca podrán atar?

42. En la tercera estrofa del poema 46, ¿a qué poetas hace un llamamiento Hernández? Busca quiénes fueron y copia algún poema suyo importante. Si prestas atención, hacia el final vuelve a citarlos, pero de diferente forma. ¿Cómo lo hace? ¿Qué pretende con ello?

¿Qué pide el poeta a sus compañeros? ¿Crees que es un poema pesimista o lleno de esperanza? Razona tu respuesta.

Cancionero y romancero de ausencias

43. Lee detenidamente esta serie de poemas y compáralos con los poemas del anterior libro. ¿Qué diferencias encuentras con respecto a la estrofa, la rima, los temas y el tono?

44. ¿Cuál es la idea principal del poema 50? ¿Qué imagen utiliza?

45. El poema 51 reproduce una pesadilla surrealista que recrea la angustia de la guerra. El poeta relaciona todas las casas con ojos, bocas y brazos. ¿Cómo se llama este recurso? Fíjate cómo los primeros versos se estructuran a través de términos antitéticos. Señálalos en el poema.

46. Analiza la métrica del poema 52. ¿Qué tipo de rima presenta? A pesar de ser un poema escrito tiene muchos elementos propios de una canción. ¿Sabrías decir alguno?

Realiza una lista de adjetivos que califiquen cómo es el vientre de la amada.

47. El poema 53 lleva por título «Nanas de la cebolla» ¿Qué puede simbolizar además este alimento? ¿Qué le pide el poeta a su hijo? ¿Por qué?

Define qué es una nana. Busca algún otro ejemplo de nana. Compáralas teniendo en cuenta la extensión, el tipo de rima, a quién va dirigida y con qué finalidad.

Actividades complementarias

48. Lee estos tres textos y extrae las cualidades humanas y literarias que alaban a Hernández. Busca información sobre los tres autores. ¿Qué premio comparten?

Texto 1

Todos los amigos de la poesía pura deben buscar y leer estos poemas vivos. Tienen su empaque quevedesco, es verdad, su herencia castiza. Pero la áspera belleza tremenda de su corazón arraigado rompe el paquete y se desborda, como elemental naturaleza desnuda. Esto es lo excepcional poético, y ¡quién pudiera exaltarlo con tanta claridad todos los días! Que no se pierda (...) esta voz, este acento, este aliento, joven de España (Juan Ramón Jiménez).

Texto 2

Era puntual, con puntualidad que podríamos llamar del corazón. Quien lo necesitase a la hora del sufrimiento, o de la tristeza. Allí le encontraría, en el minuto justo (...). Él, rudo de cuerpo, poseía la infinita delicadeza de los que tienen el alma no sólo vidente, sino benevolente (...). Era confiado y no aguardaba daño. Creía en los hombres y esperaba en ellos. No se le apagó nunca, no, ni en el último momento, esa luz que por encima de todo, trágicamente, le hizo morir con los ojos abiertos (Vicente Aleixandre).

Texto 3

Pocos poetas tan generosos y luminosos como el muchachón de Orihuela (...). ¡Nos toca ahora y siempre sacarlo de su cárcel mortal, iluminarlo con su valentía y su martirio, enseñarlo como ejemplo de corazón purísimo! ¡(...) arcángel de una gloria terrestre que cayó en la noche armado con la espada de la luz! (Pablo Neruda).

49. Los textos 4 y 5 son dos poéticas (maneras de concebir la poesía) escritas por el mismo Hernández, pero en etapas diferentes. Teniendo en cuenta su contenido y la forma de expresarse, ¿a qué etapa crees que pertenece cada una? Señala las diferencias entre una y otra.

Texto 4

¿Qué es un poema? Una bella mentira fingida. Una verdad insinuada. Sólo insinuándola, no parece una verdad mentira. Una verdad tan preciosa y recóndita como la de una mina. Se necesita ser minero de poemas para ver en sus etiopías de sombras sus indias de luces. (...). El mar evidente, ¿sería tan bello como en su sigilo si se evidenciara de repente? Su mayor hermosura reside en su recato. El poema no puede presentársenos Venus o desnudo. Los poemas desnudos son la anatomía de los poemas. ¿Y habrá algo más horrible que un esqueleto? Guardad, poetas, el secreto del poema: esfinge. Que sepan arrancárselo como una corteza.

Texto 5

La poesía es en mí una necesidad y escribo porque no encuentro remedio para no escribir. La sentí, como sentí mi condición de hombre, y como hombre la conllevo, procurando a cada paso dignificarme a través de sus martillazos. Me he metido con ella dentro de esta tremenda España popular, de la que no sé si he salido nunca. En la guerra la escribo como un arma, y en la paz será un arma también aunque reposada. Vivo para exaltar los valores puros del pueblo, y a su lado estoy tan dispuesto a vivir como a morir.

50. Miguel Hernández recibió la influencia de clásicos como Góngora o Quevedo en sus inicios. Pero, al mismo tiempo, su poesía inspiró a otros muchos poetas posteriores como José García Nieto o Rafael Morales. De este último es el texto 6. Léelo con atención y enumera algunas características similares a las utilizadas por el oriolano (estrofa, metáforas, léxico).

Texto 6

Es la noble cabeza negra pena,
que en dos furias se encuentra rematada,
donde suena un rumor de sangre airada
y hay un oscuro llanto que no suena.

En su piel poderosa se serena
su tormentosa fuerza enamorada,
que en los amantes huesos va encerrada
para tronar volando por la arena.

Encerrada en la sorda calavera,
la tempestad se agita enfebrecida,
hecha pasión que al músculo no altera:

es un ala tenaz enardecida,
es un ansia cercada, prisionera
por las astas buscando la salida.

Otros títulos de la colección